roman rouge

Dominique et compagnie

Sous la direction de

Agnès Huguet

Nancy Montour

Abracadabra, Lorina !

Illustrations
Stéphane Jorisch

Fiches pédagogiques des romans rouges

dominiqueetcompagnie.com/pedagogie

– des guides d'exploitation pédagogique pour l'enseignant(e)
– des fiches d'activités pour les élèves

**Catalogage avant publication de
Bibliothèque et Archives nationales
du Québec et Bibliothèque et
Archives Canada**

Montour, Nancy
Abracadabra, Lorina !
(Roman rouge ; 61)
Pour enfants de 6 ans et plus.

ISBN 978-2-89512-846-5
I. Jorisch, Stéphane. II. Titre.

PS8576.O528A63 2011 jC843'.6 C2009-942632-3
PS9576.O528A63 2011

© Les éditions Héritage inc. 2011
Tous droits réservés
Dépôts légaux : 1er trimestre 2011
Bibliothèque et Archives nationales
du Québec
Bibliothèque nationale du Canada
Bibliothèque nationale de France

ISBN 978-2-89512-846-5
Imprimé au Canada

10 9 8 7 6 5 4 3 2 1

Direction de la collection
et direction artistique :
Agnès Huguet
Conception graphique :
Primeau Barey
Révision : Céline Vangheluwe
Correction : Danielle Patenaude

Dominique et compagnie
300, rue Arran
Saint-Lambert (Québec)
J4R 1K5 Canada
Téléphone : 514 875-0327
Télécopieur : 450 672-5448
Courriel :
dominiqueetcie@editionsheritage.com
Site Internet :
dominiqueetcompagnie.com

Nous remercions le Conseil des Arts du
Canada de l'aide accordée à notre programme de publication. Nous reconnaissons l'aide financière du gouvernement du
Canada par l'entremise du Programme
d'aide au développement de l'industrie de
l'édition (PADIÉ) pour nos activités d'édition.

Nous reconnaissons l'aide financière du
gouvernement du Québec par l'entremise
du Programme de crédit d'impôt pour l'édition de livres – SODEC – et du Programme
d'aide aux entreprises du livre et de
l'édition spécialisée.

*À tous ceux et celles
qui ont le courage
d'être vrais*

Chapitre 1

La magicienne

J'ai une nouvelle amie. Elle est arrivée au cirque aujourd'hui. Je sais ! Ça ne fait pas tellement longtemps, mais c'est déjà ma meilleure amie.

Magali est si jolie ! Elle ressemble à une bohémienne avec sa longue jupe à volants. J'ai beaucoup de chance d'avoir une amie comme elle. En plus, c'est une magicienne.

Je l'ai rencontrée tout à l'heure, près de la place du marché. Le chapiteau de notre cirque est monté à quelques pas de cet endroit, dans un village que je visite pour la première fois. Mon père, qui est trapéziste, m'avait donné la permission de me promener dans les environs. Alors mon grand ami, le clown Octave, a proposé de m'accompagner. Comme il souhaitait d'abord aller chercher son ombrelle dans sa roulotte, il m'a confié sa petite valise en me disant :

— Lorina, tu peux m'attendre sous ces arbres, là-bas. Je reviens tout de suite !

C'est à l'ombre de ces chênes immenses que j'ai fait la connaissance de Magali. Elle semblait avoir perdu quelque chose dans le gazon. Je me suis approchée d'elle et je lui ai demandé ce qu'elle cherchait.

– Un lapin de magicien ! m'a-t-elle répondu.

Nous avons alors entendu une voix perçante qui appelait :

– Ma... ga... li...

– Oh non ! C'est ma mère ! a soupiré la jeune bohémienne.

Au même instant, un minuscule lapin blanc est apparu près de mes pieds.

–Ne bouge surtout pas, m'a ordonné la jeune fille.

Elle s'est jetée sur lui comme une chouette sur sa proie. Puis, elle m'a dit :

–Cache-le dans ta valise.

–Je ne peux pas ! C'est celle de mon ami...

–Peu importe, m'a-t-elle coupée. Cache-le ! Vite !

J'ai donc ouvert la valise d'Octave, et Magali a déposé le lapin à l'intérieur.

Une seconde plus tard, une femme magnifique est arrivée. Elle portait une jolie robe bleue. La mère de mon amie avait l'air furieuse. C'est à peine si elle m'a regardée. Elle s'est penchée vers Magali pour la réprimander :

—Je t'ai répété plus de mille fois de ne jamais sortir ce lapin sans mon autorisation ! Où est-il maintenant ?

—Je ne sais pas, maman. As-tu regardé dans le chapeau magique ? Le lapin a peut-être disparu ?

Les sourcils froncés, sa mère a répliqué :

—Je ne trouve pas ça drôle, Magali ! Débrouille-toi pour qu'il soit dans sa cage dans dix minutes !

Et elle est repartie aussitôt. J'étais mal à l'aise. Magali, elle, semblait trouver cela amusant. Pour cacher mon embarras, je lui ai demandé :

—Alors, si j'ai bien compris, tu es magicienne ?

– Disons que j'aide ma mère, a-t-elle répondu. Nous venons tout juste d'arriver dans la troupe d'un cirque. Ce soir, ma mère présentera son spectacle de prestidigitation sous le grand chapiteau qui est juste là !

J'ai tourné la tête en direction de notre beau chapiteau. Je comprenais la fierté de ma nouvelle amie. Magali a poursuivi avec enthousiasme :

– Je serai sur la scène avec ma mère ! C'est tout de même incroyable, tu

ne trouves pas ? Des gens viendront nous applaudir ! Si tu as un bout de papier, je peux te signer un autographe !

J'ai souri.

—Moi aussi, je présente un numéro, mais avec mon père. Je fais du trapèze. Je m'appelle Lorina.

Magali me dévisageait avec stupéfaction. Je crois qu'elle aurait préféré être la seule vedette du spectacle. Je ne voulais pas qu'elle se sente ridicule en découvrant que ce n'était pas le cas. Alors, j'ai ouvert la valise afin qu'elle puisse reprendre son lapin.

– Tu as beaucoup de chance d'avoir un animal de compagnie.

– Pourquoi est-ce que tu n'en as pas ? m'a-t-elle demandé.

– Mon père ne veut pas. Il dit que c'est déjà assez difficile de voyager sans s'encombrer en plus d'un animal.

– Invente un numéro spécial ! s'est exclamée mon amie.

Je n'avais pas songé à cela.

— Un numéro de trapèze avec un animal… Hum…

Magali a pouffé de rire en s'écriant :

— Ce serait trop chou de voir un singe se balancer d'un trapèze à l'autre ! Il pourrait souffler des bulles de savon sur les spectateurs ! Ou bien…

— Magali ! Où voudrais-tu que je trouve un petit singe apprivoisé ?

— Pourquoi pas un oiseau alors ? Ce serait rigolo !

Chapitre 2

Un oiseau de cirque

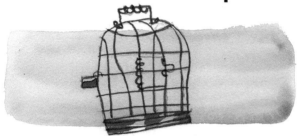

Magali est partie remettre le lapin dans sa cage. Moi, j'observe les oiseaux qui sautillent d'une branche à l'autre. Ça me donne une idée. Peut-être que Magali a raison… Je pourrais surprendre toute la troupe avec un numéro amusant ! J'imagine déjà un adorable petit oiseau virevoltant autour de moi ! Lorsque mon ami clown arrive enfin avec son om-brelle, je lui demande :

– Dis, Octave, as-tu gardé cette

grande cage d'oiseau que tu utilisais dans un de tes anciens numéros?

– Bien sûr.

– Accepterais-tu de me la prêter?

– Je ne sais pas… Que comptes-tu en faire?

– C'est pour un projet spécial… à l'école.

– Ah! Si c'est pour l'école, j'accepte! a répondu Octave en m'adressant un clin d'œil complice.

La place du marché est très ani-
mée. Sous les auvents colorés, des
marchands vendent toutes sortes de
belles choses : des fleurs, des livres,
des journaux, des glaces... Autour
de nous, il y a des gens qui rient et
qui bavardent. J'aime cet endroit.
Lors de nos ballades, Octave m'offre
toujours une petite douceur sucrée.

Nous nous installons donc sur le rebord d'une jolie fontaine pour boire une délicieuse limonade.

Soudain, Magali apparaît devant nous. Sans même saluer Octave, elle me lance :

– En marchant jusqu'ici, j'ai aperçu une volière. Ça vous dirait d'aller y jeter un coup d'œil ?

Octave observe mon amie en silence. Je ne veux pas qu'il découvre mon projet secret. Alors, mine de rien, je répète :

– Une volière ?

–Mais oui, tu sais, Lorina, une cage immense avec des dizaines d'oiseaux à l'intérieur ! On y va ?

Octave ne dit toujours rien, mais d'un geste de la main, il invite mon amie à passer devant pour nous montrer le chemin.

Magali a dit vrai. Il y a bel et bien une volière un peu plus loin. Le vieux marchand nous fait signe d'approcher. Il tient dans ses bras un grand oiseau blanc avec une huppe d'un

jaune éclatant. C'est la première fois que je vois quelqu'un flatter un oiseau. Octave se penche vers moi et me dit :

– Je crois que c'est un cacatoès.

– Bravo ! dit l'oiseleur. Comme vous pouvez le constater, Toto est un gros nounours à plumes ! En plus, il est très agile de ses pattes. Ce coquin s'est entraîné à ouvrir la porte de sa cage.

Je dois constamment le surveiller pour qu'il ne s'échappe pas. Il est toujours prêt à essayer un nouveau truc ! Un vrai oiseau de cirque ! Vous devriez l'adopter !

– Les cacatoès sont trop criards, répond poliment Octave. Les artistes du cirque dorment tard le matin ! Ils travaillent tous les soirs jusqu'à la nuit noire. De plus, je me souviens avoir lu dans un bouquin que cet oiseau a besoin de beaucoup d'attention.

Il ne serait pas heureux parmi nous, car nous aurions trop peu de temps à lui consacrer.

• • •

Sur le trajet du retour, je sens le regard attentif de mon ami clown m'envelopper de questions muettes.

Je suis tellement déçue d'apprendre qu'il n'y a aucune place pour un oiseau dans notre troupe.

Chapitre 3
Comme Magali

Le soleil du matin se faufile jusqu'à mon oreiller. Blottie dans mon lit, je m'étonne d'entendre quelqu'un appeler mon nom aussi tôt. Je repousse les couvertures et je saute sur le plancher. Je tire les rideaux pour découvrir ma merveilleuse amie Magali.

—Tu en as mis du temps ! Qu'est-ce que tu fais ? Je t'attends !

À cette heure-ci, la cuisine d'Esteban est encore fermée. Mais mon ami

cuisinier laisse toujours quelques muffins ou quelques fruits sur le comptoir.
Juchée sur un tabouret, Magali dévore
avidement ce petit déjeuner impro-
visé en faisant des miettes partout.
Aussitôt la dernière bouchée avalée,
elle bondit sur ses pieds pour me
demander :

– Tu me montres l'atelier de couture
de ta mère ?

Habituellement, je nettoie le comptoir avant de quitter la cuisine, mais
mon amie semble si impatiente que
je la suis en courant !

Magali n'a jamais vu autant de costumes. Elle est très impressionnée :

— Non mais, est-ce que tu vois tous ces tissus fantastiques ? C'est trop chou ! Tu sais quoi ? On va te confectionner une jupe comme la mienne ! On sera des jumelles !

— Je ne crois pas que ma mère serait d'accord.

— Lorina, il y a certainement des retailles que nous pouvons utiliser, suggère-t-elle en minaudant.

Ma mère connaît chaque petit bout d'étoffe qui se trouve dans cette pièce. Elle ne voudrait pas que je fouille dans ses affaires sans sa permission. Mais j'aimerais tellement porter une longue jupe à froufrous, moi aussi !

En moins de temps qu'il n'en faut pour le dire, Magali choisit quatre longs morceaux de cotonnade vivement colorés. Elle tourne autour de moi avec un ruban. Après deux mesures et dix coups de ciseaux, elle

s'installe à la machine à coudre.
Une vraie magicienne !

—Ce fil doré est fabuleux ! Cherche un élastique, Lorina. J'aurai bientôt terminé.

• • •

J'adore ma jupe de bohémienne ! J'ai même appliqué un peu de maquillage bleu sur mes paupières. Je ressemble vraiment à Magali maintenant. En tournoyant, nous traversons la salle

d'entraînement. Magali remarque, dans un coin, le vieux fauteuil de mon ami musicien. Je lui explique :

– Fritz emporte ce fauteuil partout. Tu sais, les gens du cirque ne possèdent pas grand-chose. Alors souvent, ils s'attachent à un objet particulier qu'ils transportent partout avec eux. Fritz, lui, aime s'asseoir ici pour répéter ses pièces musicales. Il m'enseigne la flûte de temps en temps. Est-ce que tu joues d'un instrument de musique, Magali ?

—Oui, de la guitare.

Magali s'accroupit près du fauteuil, là où Fritz a laissé quelques instruments soigneusement rangés dans leur étui respectif. Sans hésiter, elle retire la guitare et s'installe dans le fauteuil du musicien. Mon cœur frissonne lorsque je vois mon amie tourner les clés en affirmant que la guitare n'est pas bien accordée. Puis, elle se met à gratter les cordes à un rythme complètement fou. Voilà une musique que je ne connais pas du tout ! Je songe à lui demander d'arrêter quand, tout à coup, une corde se casse.

– Magali !

– Eh ! Ce n'est pas de ma faute si ces vieilles cordes sont trop usées. Ne t'inquiète pas ! Ton ami en a sûrement d'autres. Viens ! J'ai une belle surprise pour toi.

– Pour moi ?

Chapitre 4

Étrange disparition

Magali me conduit sous le chapiteau. Elle a installé sur la scène une table ronde recouverte d'une cape rouge et fleurie. D'une voix profonde, elle annonce :

— Assoyez-vous, mademoiselle Lorina.

Quelle belle surprise ! Elle récite quelques formulettes, puis soulève avec grâce le chapeau magique.

— Ça alors ! s'exclame-t-elle. Mais où est-il passé ?

– Qui ça ?

– Toto ! Je l'ai trouvé ce matin près du chapiteau. Je voulais te surprendre en le faisant apparaître sous le chapeau.

– Oh… Il a peut-être disparu ?

– Mais non, voyons ! s'impatiente Magali.

C'est alors que nous entendons l'oiseau crier : « C'est chou ! C'est chou ! », en imitant parfaitement la voix enjouée de mon amie.

Nous trouvons le cacatoès caché sous la table.

– Ce qu'il nous faudrait, c'est une cage, soupire Magali.

– Je sais où en trouver une !

Magali éclate de rire. On dirait qu'elle est heureuse d'avoir une amie comme moi !

– Toto, attends-nous ici ! lui ordonne la jeune magicienne.

– C'est chou, c'est chou, répond l'oiseau.

Nous courons à toutes jambes jusqu'à la roulotte d'Octave. Je frappe à sa porte avec empressement. On dirait qu'il n'est pas là. Magali, elle, n'hésite pas à entrer. Elle saisit la cage qui se trouve sur une table et nous repartons à toute vitesse vers le chapiteau.

• • •

De retour sous la tente, je constate qu'un oiseau de cirque peut faire bien des dégâts. En grimpant le long d'une corde, Toto a libéré des ballons qui étaient retenus par un immense filet. Il s'amuse maintenant à les faire éclater. Quel vacarme ! Oh non ! J'entends la voix de mon père qui hurle :

—Mais à qui appartient ce drôle d'oiseau ?

– Lorina ! C'est chou ! réplique Toto en imitant la voix de Magali.

Nous nous cachons rapidement entre les rangées de chaises. Je fais signe à Magali de ne pas bouger. Voilà Esteban et ma mère qui arrivent en courant sur la scène.

– Qu'est-ce qu'il se passe ici ? demande cette dernière. Oh non ! Mon atelier aussi est à l'envers, et Lorina n'est pas dans sa chambre. Tu crois que c'est elle qui a fait tout cela ?

– Ça ne lui ressemble vraiment pas, fait remarquer le cuisinier. Mais je dois avouer que ce matin, j'ai trouvé ma cuisine en désordre.

– Et ma guitare est abîmée ! lance Fritz en entrant.

– Ah ! Voilà Octave ! Aurais-tu vu Lorina, ce matin ? lui demande mon père tandis que le clown s'assoit dans un fauteuil à seulement quelques rangées derrière nous.

–Lorina ? J'ai bien peur qu'elle ait complètement disparu, répond le clown.

–Quoi ? s'inquiète ma mère.

–Interrogez la petite magicienne. Vous comprendrez tout ! Moi, je me charge de cet oiseau.

Chapitre 5

La vérité

Fritz, Esteban, ma mère et mon père quittent le chapiteau en grommelant. Je sens que j'aurai tout plein d'embêtements. Je connais bien Octave. Il ne partira pas. Il a certainement remarqué sa cage d'oiseau déposée dans l'allée. Il sait que je suis ici. Timidement, je me relève, imitée par Magali. Octave semble en colère. Il dit à mon amie :

—Je crois que tu devrais aller aider la maman de Lorina à ranger son atelier.

Magali relève la tête et se dirige lentement vers la sortie. Je n'ai pas l'impression qu'elle aidera qui que ce soit. Octave m'observe.

— J'ai vu l'oiseleur, tout à l'heure. Il cherchait son cacatoès. Je ne peux pas croire que tu aies volé cet oiseau, Lorina !

— Volé ? Octave, je n'ai rien volé ! Magali l'a trouvé près d'ici !

— Peut-être… Mais tu oublies la cage. Tu l'as prise sans autorisation.

–C'est faux ! Tu avais accepté de me la prêter !

–Pour un projet scolaire !

Octave semble vraiment fâché. Je baisse la tête en murmurant :

–Je n'ai rien volé. C'est la vérité.

–La vérité, c'est que ta nouvelle amie a fait disparaître tout ce qui faisait de Lorina, Lorina. Ta gentillesse, ta délicatesse, ta franchise, ta courtoisie. Tu m'as menti à propos de cette cage. Pourquoi ?

– Je voulais avoir un animal de compagnie, comme Magali.

– Lorina, tu voulais beaucoup plus que cela. Regarde-toi. Tu es habillée comme elle. Tu es coiffée comme elle. Tu es maquillée comme elle. Tu fais des bêtises comme elle ! Je t'en prie Lorina, ne fais pas disparaître tout ce que j'aime en toi.

Octave a raison. J'aurais voulu être extraordinaire, flamboyante, éblouissante… Comme Magali.

Mais lorsque j'ai rendu Toto à l'oiseleur, lorsque j'ai rangé l'atelier avec ma mère, lorsque j'ai aidé Fritz à changer la corde de sa guitare, lorsque j'ai cuisiné deux douzaines de muffins avec Esteban, j'ai réalisé qu'ils m'avaient tous déjà pardonné parce qu'ils m'aiment, moi, Lorina.

J'espère que Magali voudra encore être mon amie... Elle est restée cachée toute la journée. Octave dit qu'elle n'est sûrement pas bien loin. Il a trouvé une jolie lapine dans une de ses bottines !

Dans la même série

Entre la lune et le soleil

Lorina et le secret d'amour

Lorina et le monstre de jalousie

Achevé d'imprimer en février 2011
sur les presses de Imprimerie L'Empreinte inc.
à Saint-Laurent (Québec) – 80643